ANTONI GAUDÍ

SUS OBRAS EN BARCELONA
HIS WORKS IN BARCELONA

DOSDEARTE EDICIONES

SUMARIO / CONTENTS.

ANTONI GAUDÍ / BARCELONA

Gaudí y Barcelona

Antoni Gaudí nació el 25 de junio de 1852, aunque el lugar de nacimiento sigue siendo, a día de hoy, un asunto por el cual los historiadores del arquitecto continúan discrepando. Algunos dicen que ha sido en la ciudad de Reus, mientras que otros afirman que ha nacido en el Baix Camp en la provincia de Tarragona. Sea el lugar que sea, en lo que nadie tiene ninguna duda es en que, a través de los años, Gaudí ha forjado un estrecho vínculo con otro lugar: la ciudad de Barcelona. El joven Gaudí llega a la ciudad en el año 1868 con el objetivo de comenzar los estudios de arquitectura y desde aquel momento hasta su muerte, el 10 de junio de 1926, no abandonará nunca su íntima relación con la capital de Cataluña. Fue justamente en Barcelona donde el arquitecto desarrolló la mayoría de su obra creadora pero, sobre todo, la de mayor relevancia para la historia de la arquitectura y las vanguardias artísticas del siglo XX.

Gaudí and Barcelona

Antoni Gaudí was born on the 25th of June 1852, though his place of birth continues being, up to this day, an ongoing subject of debate for historians of architecture. Some say he was born in the city of Reus, whilst others claim that he was born in Baix Camp in the Tarragona province. Where ever it might have been, what nobody has any doubt about is that over the years Gaudí developed close ties with another place: the city of Barcelona. The young Gaudí arrived at the city in the year 1868 in order to embark on architectural studies and from that moment up until his death, on the 10th of June 1926, he was never to abandon his close relationship with the capital of Catalonia. It was precisely Barcelona where the architect developed the bulk of his creative work and which in particular was of greater significance to the history of architecture and the artistic avant-gardes of the 20th century.

La vida de Gaudí

1852
Nace el día 25 de junio en la ciudad de Reus, provincia de Tarragona.

1868
Se traslada a Barcelona para estudiar la carrera de arquitectura.

1875
Presta el servicio militar.

1878
Finaliza los estudios de arquitectura • Diseña farolas para el Ayuntamiento de Barcelona • Proyecta la Cooperativa Obrera Matoronense • Se presenta en la Exposición Universal de París.

1883
Empieza "El Capricho", en Comillas, que termina en 1885 • Inicia las obras de la casa Vicens en Barcelona, que acaba en 1888 • Se hace cargo de las obras del templo de la Sagrada Familia.

1889
Construye el Palacio Episcopal de Astorga y la casa de los Botines en León.

1900
La casa Calvet recibe el premio del ayuntamiento • Comienza el Park Güell.

1904
Recibe el encargo para la remodelación de la casa Batlló.

1906
Comienza la Pedrera • Se muda al Park Güell con su padre. Meses después muere su padre a los 93 años.

1911
Enferma de fiebre de Malta y se traslada a Puigcerdà, donde redacta su testamento.

1914
Se interrumpen las obras del Park Güell.

1918
Muere Eusebi Güell, su mecenas y gran amigo.

1925
Se traslada a vivir a su estudio en el templo de la Sagrada Familia.

1926
El 7 de junio es atropellado por un tranvía en Barcelona. Tres días después, fallece a los 74 años de edad.

The life of Gaudí

1852
He is born on the 25th of June in the province of Tarragona.

1868
He moves to Barcelona to study architecture.

1875
He does military service.

1878
He finishes architecture studies. He designs lampposts for the City Council. He projects the Workers' Cooperative of Mataro. He exhibits in the Universal Exhibition of Paris.

1883
He starts work on the Caprice property, in Comillas, which ends in 1885. He begins work on Casa Vincens in Barcelona, which he finishes in 1888.
He leads the building proyect of the expiatory temple of La Sagrada Familia.

1889
He constructs the Episcopal Palace of Astorga and Casa de los Botines in León.

1900
Casa Calvet is awarded by the City Council. Work on Park Güell starts.

1904
He is commissioned with the renovation of Casa Batlló.

1906
He starts La Pedrera. He moves to Park Güell with his father. His father dies at the age of 93.

1911
Ill with Maltese fever he moves to Puigcerdà, where he draws up his will.

1914
Construction work on Park Güell is held up.

1918
His great friend Eusebi Güell dies.

1925
He moves into his study in the temple of La Sagrada Familia.

1926
On the 7th of June he is run over by a tram. Three days later he dies at the age of 74.

1878

ANTONI GAUDÍ / BARCELONA

FAROLAS DE PLA DEL PALAU Y PLAÇA REIAL

El encargo del ayuntamiento

Desde los comienzos de su trayectoria profesional, Antoni Gaudí nunca ha dejado indiferente a nadie y, gracias a su fuerte personalidad, supo cautivar a todo aquel que se cruzara en su camino. Quizás por ello o tal vez por sus innovadoras ideas fue que el ayuntamiento de Barcelona le encargó el diseño de unas farolas para iluminar las calles de la ciudad. El arquitecto aceptó el desafío y luego de un largo y detallado estudio presentó el proyecto a finales del mes de junio de 1878, en el cual Gaudí desarrolló dos modelos de farolas que surgieron a partir de un minucioso análisis donde se determinaban y se justificaban los materiales que se debían utilizar en su construcción. Cuando el ayuntamiento realizó el encargo, no determinó un lugar específico para su emplazamiento y luego de la presentación de Gaudí, decidió ubicar la farola más pequeña, la de tres brazos, en Pla del Palau y la más grande, la de seis brazos, en la Plaça Reial.

The city council's commission

From the start of his career, Antoni Gaudí never failed to make an impression and, thanks to his strong character he knew how to captivate all those who came his way. Possibly for this or his innovative ideas was why Barcelona city council commissioned him to design some lampposts to light up the city streets. The architect took up the challenge and after a long, in-depth study presented the project at the end of June 1878, in which he developed two models of lampposts that evolved from a thorough analysis where the materials to be used in their construction were determined and then justified. When the city council set out the commission, the location of the lampposts wasn't specified but after Gaudí's presentation it was decided that the smallest three-armed lamppost be positioned in Pla del Palau and the largest six-armed one, in Plaça Reial.

1883-20..

ANTONI GAUDÍ / BARCELONA

TEMPLO DE LA SAGRADA FAMILIA

Una obra única en el mundo

La fecha oficial de nacimiento del templo de la Sagrada Familia es el 19 de marzo de 1882. La colocación de la primera piedra fue un gran acontecimiento público al que acudieron todas las autoridades civiles y eclesiásticas de Barcelona. Esta primera piedra debía servir de base para el templo proyectado por el arquitecto Francisco del Villar, pero al tiempo de iniciarse las obras el arquitecto dimite por problemas con la dirección y en su lugar es propuesto, en 1883, el joven arquitecto Antoni Gaudí que a sus 31 años ya había demostrado sus excelentes cualidades. Rápidamente, Gaudí abordó el antiguo proyecto y con el paso de los años lo convirtió en una obra maestra universal. La importancia del templo radicó, además de sus enormes dimensiones, en la absoluta originalidad de su estilo, sus revolucionarias soluciones técnicas y el misticismo que supo imprimir en cada una de las piedras su genial autor.

A unique work in the world

The official date of birth of the temple of La Sagrada Familia is the 19th of March of 1882. The laying of the first stone was a great public event attended by all the civil and ecclesiastical dignitaries of Barcelona. This first stone was to serve as the base for the temple projected by architect Francisco del Villar, but at the beginning of construction work the architect resigned due to differences with the management, and in the year 1883, the young architect Antoni Gaudí, whom by the age of 31 had already proved his talents, was proposed to fill the latter's position. Promptly, Gaudí took on the former project and with the passing of time transformed it into a universal masterpiece. The importance of the temple lies in, apart from its enormous dimensions, the absolute originality of its style, its revolutionary technical solutions and the mysticism that its ingenious creator printed on each of its stones.

1883-1888

ANTONI GAUDÍ / BARCELONA

CASA VICENS

El primer proyecto importante

Ubicada en lo que antiguamente eran las afueras de la ciudad de Barcelona, esta casa fue el primer proyecto importante que realizó el arquitecto. El encargo vino de parte de Manuel Vicens i Montaner, un industrial ceramista, aunque algunas fuentes afirman que era corredor de bolsa, y consistía en diseñar una villa de veraneo. Para ello Gaudí proyectó una gran casa con todas las comodidades propias de la época, que acondicionó para pasar el verano, y diseñó el jardín rodeando la casa por tres lados donde, además, colocó una fuente y un estanque. De estilo ecléctico y con claras reminiscencias a la arquitectura y ornamentación oriental, la casa presenta en el exterior unos grandes volúmenes con terminaciones rectas que Gaudí reforzó con el uso de la cerámica, supuestamente de la fábrica del señor Vicens. Por el contrario para el interior de la casa el arquitecto decoró los espacios con motivos naturalistas y formas orgánicas.

The first important project

Located on what were formerly the outskirts of the city of Barcelona, this house was the first important project carried out by the architect. The commission involved designing a summer villa and came from Manuel Vicens i Montaner, an industrial ceramist, though it is also said he was a stockbroker. Gaudí therefore planned a large house with all the period comforts, fitted out for summer visits, with a garden surrounding the house on three sides, including a fountain and pond. There are some large volumes with straight terminations on the house's exterior that Gaudí reinforced with the use of ceramic work, supposedly from Mr. Vincens' factory. They are of eclectic style and are influenced by oriental decoration and architecture. As for inside the house, the architect decorated the spaces with naturalistic motifs and organic shapes.

1884-1887

ANTONI GAUDÍ / BARCELONA

FINCA GÜELL

El jardín de las Hespérides

En el año 1884, Antoni Gaudí recibe el encargo de quien fuese, años más tarde, su amigo y mecenas, el conde Eusebi Güell, para la realización de unas obras en una vasta finca que éste tenía en lo que antiguamente eran las afueras de Barcelona. El encargo consistía en la construcción del muro perimetral de la finca con tres puertas de acceso, la portería, las caballerizas, un mirador, una fuente y la capilla de la casa residencial. Pero sin duda, el elemento más emblemático de la finca es el diseño que Gaudí realizó para la puerta principal. Construida en hierro forjado, se cree que el arquitecto pudo inspirarse en la leyenda del Jardín de las Hespérides, en la que aparece un dragón que vigila un jardín en el que hay un olmo, un sauce y un álamo, que representan a las Hespérides castigadas a ser árboles por haber perdido las naranjas de oro, y que justamente Gaudí incluyó en uno de los pilares de la puerta de entrada junto al dragón.

The Garden of the Hesperides

In the year 1884, Antoni Gaudí received a commission from Count Eusebi Güell, whom years later was to become his friend and patron, to carry out some work on a large property he owned on what were originally the outskirts of Barcelona. The commission consisted of constructing the perimeter wall of the property with three entrance-ways, a gatekeeper's lodge, stables, a lookout, a fountain and residence chapel. But without doubt, the most emblematic element of the property was the design Gaudí created for the main entrance. Constructed in wrought iron, it is believed that the architect was inspired by the legend of the "Garden of the Hesperides", where a dragon guards a garden with an elm, a willow and a poplar tree, which represent the Hesperides, chastised nymphs turned into trees for having lost the golden oranges, and which precisely Gaudí includes on one of the pillars of the entranceway along with the dragon.

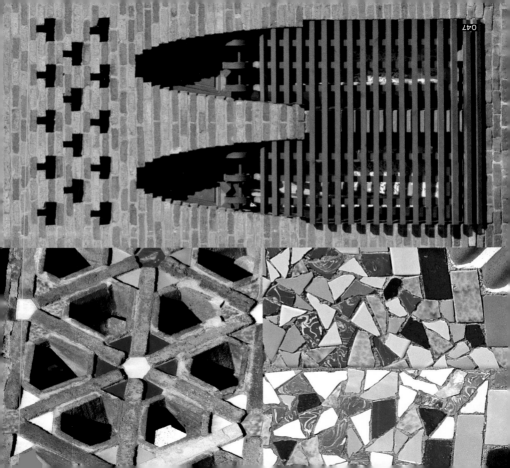

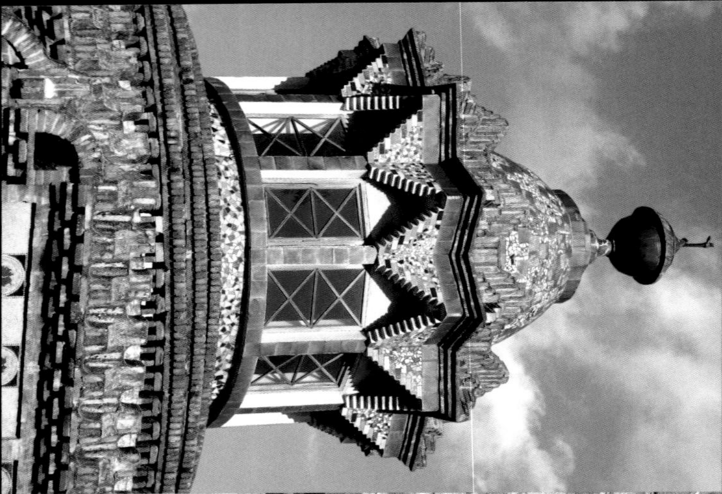

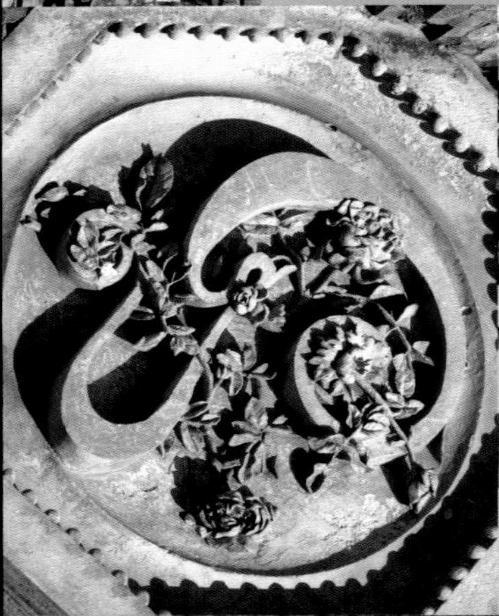

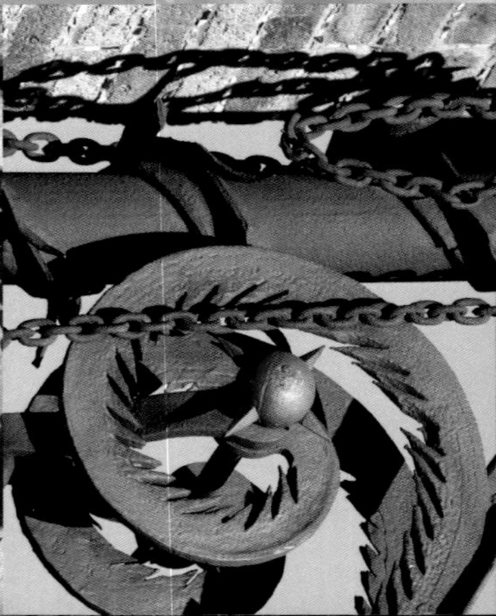

1886-1890

ANTONI GAUDÍ / BARCELONA

PALAU GÜELL

053

Un palacio para un conde

Construido entre 1886 y 1890, el palacio fue encargado a Gaudí por su amigo el industrial textil Eusebi Güell, quien quería que el edificio fuese un referente de la ciudad y por ello no escatimó gastos para su construcción. Es así como Gaudí tuvo la total libertad en el diseño y en el uso de los materiales y sin duda, una vez terminado el palacio, fue uno de los edificios más lujosos de la ciudad de Barcelona, aunque su mayor reconocimiento lo obtuvo cuando en el año 1986 fue declarado Patrimonio de la Humanidad por la UNESCO. Por expreso pedido del señor Güell, Gaudí se vio obligado a terminar gran parte del palacio hacia el año 1888, ya que el conde quería organizar, en su nueva vivienda, recepciones y diversos actos de la Exposición Universal que se estaba celebrando en Barcelona por aquella época. El palacio fue la vivienda del conde desde la finalización de la obra hasta el año 1910, cuando decide trasladarse a vivir a su casa del Park Güell.

A palace for a Count

Constructed between 1886 and 1890, the palace was entrusted to Gaudí by his friend the textile industrialist Eusebi Güell, who wanted the building to be a reference point for the city and therefore spared no expense in its construction. Subsequently, Gaudí had free rein in the design and use of materials and needless to say, once the palace was finished, it was one of the most luxurious buildings in the city of Barcelona, though its greatest acknowledgement came in the year 1986 when UNESCO declared it a World Heritage Site. By express wish of Mr. Güell, Gaudí had to finish building work on most of the palace around 1888, as the count wanted his new home to play host to receptions and diverse acts for the Universal Exhibition taking place in Barcelona during this time. The palace was the count's residence from the completion of the construction work up to the year 1910, when he decided to move into his house in Park Güell.

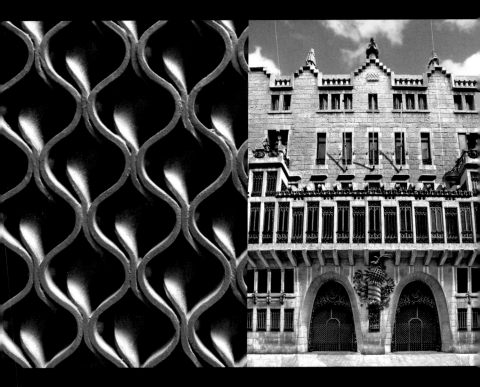

1889-1890

ANTONI GAUDÍ / BARCELONA

COLEGIO
TERESIANO

Una obra austera y simbólica

El proyecto inicial del Colegio Teresiano se inicia en el año 1888 en manos de un arquitecto que, al día de hoy, se desconoce su nombre y consistía en un conjunto de tres edificios situados en forma de U. Pero en marzo de 1889 y sin saberse los motivos, el fundador de la Compañía de Santa Teresa, el padre Ossó, traspasa el proyecto al ya conocido Antoni Gaudí. El arquitecto tomó las obras con entusiasmo y proyectó un edificio de planta rectangular de 58 x 18 metros, donde ubicó en planta baja y el primer piso las aulas de estudio, y en la segunda y tercera planta las dependencias y los dormitorios de las monjas y las alumnas internadas. Para la construcción y decoración del colegio, Gaudí pensó en soluciones simples y austeras y para ello decidió utilizar el ladrillo y la piedra, que contrastó con trabajos, llenos de simbolismo, en cerámica y forja en hierro, que ubicó en los remates del edificio y en las puertas de acceso.

An austere and symbolic work

The initial project for the Teresian College began in the year 1888 in the hands of an architect whose name to this day remains unknown and consisted of a u-shaped arrangement of three buildings. However, in March 1889 and without knowing the why and wherefore, the founder of the Society of Saint Teresa, Father Ossó, passed the project on to the reputable Antoni Gaudí. The architect enthusiastically set about work and planned a building of rectangular ground plan measuring 58 by 18 metres, where the classrooms were on the ground floor and first floor, with rooms and nuns' and boarders' bedrooms located on the second and third floor. As for the college's construction and decoration, Gaudí devised simple and austere solutions and worked with brick and stone, which he then contrasted with works full of symbolism, of ceramic work and wrought iron, positioned on the building's endings and entranceways.

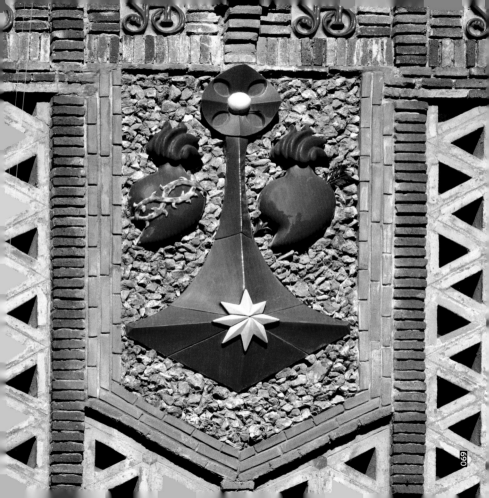

1898-1900

CASA CALVET

Una casa con premio

En el año 1898 Gaudí recibe el encargo de su primer edificio de vecinos por parte del industrial textil Pedro Mártir Calvet, aunque algunas fuentes afirman que fueron los hijos del empresario los que realmente hicieron el encargo al arquitecto. La casa se comenzó a construir en el año 1899, ya que el ayuntamiento de Barcelona no le dio los permisos de obra en un primer momento, porque el proyecto superaba la altura máxima permitida para esa calle. La casa se componía de sótano, planta baja, cuatro pisos y azotea y estaba concebida para albergar un almacén para los productos textiles de la familia, la vivienda de los propietarios en el piso principal y viviendas de alquiler en el resto de las plantas, como era habitual en esa época. Una vez acabada y a pesar de los problemas iniciales con el ayuntamiento la casa Calvet recibió el premio al edificio que reunía los mayores méritos artísticos y arquitectónicos del año 1900.

An award-winning house

In the year 1898, Gaudí was commissioned with his first building for neighbours by textile industrialist, Pedro Mártir Calvet, though some sources claim that it was really the businessman's sons who actually commissioned the architect. The house's construction commenced in the year 1899, as the city council of Barcelona wouldn't grant the building permit straight away as the project exceeded the maximum height allowed in the street. The house was made up of a basement, ground floor, four floors and terrace and was devised to hold a storehouse for the family's textile products, the apartment for the owners on the main floor and rented apartments on the remaining storeys, which was common place in the period. Once finished and despite the initial setbacks with the city council, the Casa Calvet was awarded prize for being the building that best brought together the greatest artistic and architectonic merits of the year 1900.

1901-1902

ANTONI GAUDÍ / BARCELONA

FINCA
MIRALLES

Una gran puerta

El impresor, editor, encuadernador y fabricante de piezas de cartón piedra, el señor Hermenegild Miralles, le encarga a su amigo Antoni Gaudí la construcción de la puerta de entrada y el muro perimetral de la
finca que tenía en las afueras de la ciudad de Barcelona, en el actual
barrio de Les Corts. Entre los años 1901 y 1902, el arquitecto comienza
las obras y proyecta un muro de cierre completamente ondulado, con
la característica de ser más delgado en la parte superior que en la parte inferior. Este muro, Gaudí lo realiza en mampostería y para generar
la ondulación utiliza ladrillos cerámicos y restos de tejas unidas con
mortero de cal. Pero sin duda el elemento más característico es el gran
portal de acceso a la finca que, entre la ondulación de sus formas y las
superficies alabeadas de la parte superior, el arquitecto supo transfor-
mar, esta sencilla obra, en un gran ejemplo del arte modernista aplica-
do a la arquitectura.

A great doorway

The printer, publisher, bookbinder and manufacturer of papier mâché, Mr. Hermenegild Miralles, commissioned his friend Antoni Gaudí with the construction of the entranceway and the perimeter wall of the property that he owned on the outskirts of Barcelona city, in the present neighbourhood named Les Corts. Between the years 1901 and 1902, the architect started its construction, planning a surrounding wall that was entirely undulating, with the characteristic of being narrower higher up than lower down. Gaudí built this wall with masonry using ceramic bricks and tile scraps bound together with lime mortar in order to produce a wavy form. But undoubtedly the most characteristic feature is the great entranceway to the property that, among the wavy forms and warped surfaces on its upper part, the architect knew how to transform this simple work into a great example of modernist art applied to architecture.

1900–1914

ANTONI GAUDÍ / BARCELONA

PARK GÜELL

Un lugar mágico

El conde Eusebi Güell, el gran amigo y mecenas de Antoni Gaudí, encarga al arquitecto el proyecto de un complejo residencial, con el objetivo de generar un enclave utópico, alejado del bullicio de la ciudad. Bajo la estricta dirección de Gaudí, se comienza a construir el parque en el año 1900 sobre la montaña Pelada, lo que antiguamente eran las afueras de Barcelona. Pero con el comienzo de la Primera Guerra Mundial y las crisis de la época, la burguesía no llega a interesarse en el proyecto y en el año 1914 se suspenden definitivamente las obras. Hasta esa fecha sólo se habían construido las zonas comunitarias y dos casas de las 60 proyectadas. Con el tiempo el parque se utilizó para fiestas, celebraciones y congresos hasta que, en 1922, es adquirido por el ayuntamiento de Barcelona para transformarlo en parque público, aunque su mayor reconocimiento lo obtiene en 1984 cuando la UNESCO lo declara Patrimonio Mundial.

A magical place

The count Eusebi Güell, great friend and patron of Antoni Gaudí, commissioned the architect with the project of a residential complex, with the intention of generating a utopian retreat far away from the hubbub of the city. Under the strict control of Gaudí, the park's construction started in the year 1900 on the Pelada mountainside, on what were formerly the outskirts of Barcelona. But due to the onset of the First World War and the crisis during this period, the bourgeoisie didn't express sufficient interest in the project and in 1914, work ground to a halt. Up to this time only the communal areas and two of the 60 houses planned had been built. However, eventually the park was used for parties, celebrations and conferences until it was acquired by Barcelona City Council and transformed into a public park in 1922, though it was in 1984 that it received total recognition when UNESCO declared it a World Heritage Site.

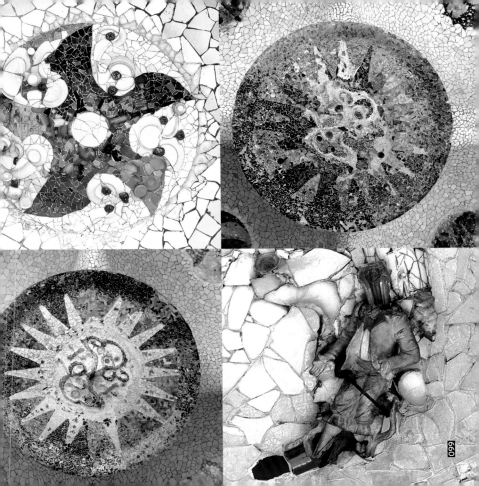

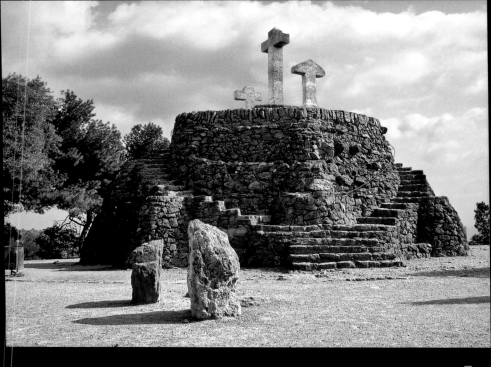

ANTONI GAUDÍ / BARCELONA

TORRE
BELLESGUARD

La herencia de Cataluña medieval

Hacia el año 1900 fallece un viejo amigo de Gaudí, el obispo de Astorga Joan Grau, y los albaceas pusieron a la venta las propiedades que tenía en Cataluña entre las que se encontraban los terrenos del antiguo castillo real de Bellesguard, donde se encontraron, según se cuenta, los restos del último rey catalán Martí I "El Humano". La finca de unas 12 hectáreas, la compró María Sagués viuda de Jaume Figueras, a partir de las recomendaciones del propio Antoni Gaudí. Hacia el año 1901, el arquitecto comienza las obras de la casa encargada por doña Sagués, con un marcado estilo neogótico que Gaudí quiso imprimir a la vivienda a modo de homenaje al antiguo rey. Así fue como diseñó una casa de planta cuadrada que distribuyó en semisótano, planta baja, primer piso y desván, aunque su característica más singular es la esbelta torre que ubicó en una de las esquinas y la decoración exterior realizada a modo de almohadillado hecho en piedra.

The inheritance of medieval Catalonia

Around 1900, the Bishop of Astorga, Joan Grau, an old friend of Gaudí, passed away and the executors of his estate put the properties he owned in Catalonia up for sale including the lands of the old royal castle of Bellesguard, where it is said the remains of the last Catalan King Martí I "The Benevolent" were found. The property spanned 12 hectares and was bought by María Sagués, widow of Jaume Figueras, on Antoni Gaudí's personal recommendation. Around 1901, the architect started work on the house, commissioned by Mrs. Sagués, bestowing it with a definite neo-gothic style that he wanted to stamp on the property as a way of homage to the former king. This is how he came to design a house of square ground plan that was divided into a semibasement, ground floor, first floor and attic, though its most striking feature is the slender tower he put on one of its corners and the outside stone quilted decoration.

1904-1906

ANTONI GAUDÍ / BARCELONA

CASA BATLLÓ

Una explosión de alegría

Josep Batlló compró hacia 1903 un sobrio edificio en el Paseo de Gràcia porque quería vivir con su familia en el nuevo Ensanche barcelonés, una zona de gran prestigio. En su afán por destacarse del resto de la burguesía, el señor Batlló contrató para el proyecto de su casa a uno de los arquitectos más innovadores de la época, el genial Antoni Gaudí. El encargo que recibió el arquitecto era derribar el antiguo edificio y construir una nueva casa donde la familia Batlló ocupe el piso principal y el resto de las viviendas se destinen para alquiler, pero una vez analizada la demanda, el arquitecto decidió no demoler la vieja finca y planteó, en su lugar, una reforma integral. Así fue como cambió la fachada principal, a la que agregó los balcones y la tribuna de piedra, mientras que en el interior, modificó la totalidad del piso principal, amplió el patio central y el sótano y añadió dos pisos más a la finca en los que ubicó el desván y los trasteros comunitarios.

An explosion of happiness

Around 1903 Josep Batlló bought a sober building on Passeig de Gràcia as he wanted to reside with his family in the new Barcelona Eixam-
ple, an area of great prestige. In his eagerness to stand out from the
rest of the bourgeoisie, Mr. Batlló contracted one of the most innovative architects of the period, the ingenious Antoni Gaudí, to work on
his house. The commission the architect received was to pull down the
old building and construct a new house where the Batlló family would
take up the main floor and the rest of the dwellings would be rented
out. After much analysis, the architect decided against demolishing
the old property and planned a complete renovation instead. This was
how he changed the main façade, to which he added balconies and a
stone rostrum, while indoors he modified the entire main floor, wid-
ened the central patio well and basement, then added two more floors
on to the property holding the attic and communal lumber rooms.

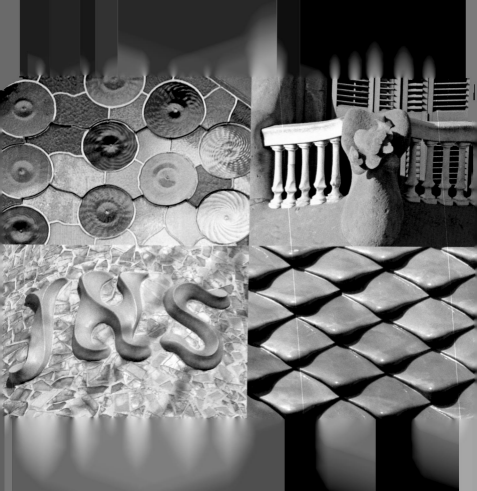

ANTONI GAUDÍ / BARCELONA

CASA MILÀ:
LA PEDRERA

Una escultura arquitectónica

Pere Milà había quedado deslumbrado al conocer la casa que Gaudí reformó a Josep Batlló, socio de su padre. Así fue como decidió encargar el proyecto de su nueva casa al prestigioso arquitecto. La familia Milà quería construir un gran edificio donde ellos ocuparían el piso principal y destinarían el resto a viviendas de alquiler. En septiembre de 1905 Pere Milà pide los permisos para derribar el antiguo chalé de tres pisos situado en el solar que había comprado en el Paseo de Gràcia y el 2 de febrero del año siguiente el propio arquitecto presenta los planos en el ayuntamiento. Adelantándose a su época, Gaudí proyecta en el sótano uno de los primeros garajes para automóviles de Barcelona. Sobre éste, la planta baja la reservó para los patios interiores y los accesos. Las cinco plantas siguientes las destinó para viviendas; la primera, la principal, para los propietarios y el resto para alquiler. Coronó el conjunto un desván y la azotea.

An architectonic sculpture

Pere Milà was bowled over by the house that Gaudí had renovated for Josep Batlló, his father's partner, and subsequently entrusted the project of his new home to the prestigious architect. The Milà family wanted to have a large property built in which they would occupy the main floor while the rest would be for let. In September 1905, Pere Milà asked for building permission to demolish the old three-storey house on the land he had bought on Passeig de Gràcia and on the second of February of the following year the architect presented the plans at the town hall. Ahead of his time, Gaudí designed the basement to have one of the first automobile garages in Barcelona. Above this, the ground floor was reserved for the inner courtyards and entranceways. The next five floors were destined for flats; the first one, on the main floor was for the landlord and the rest were to be rented out. The building was topped with an attic and roof terrace.

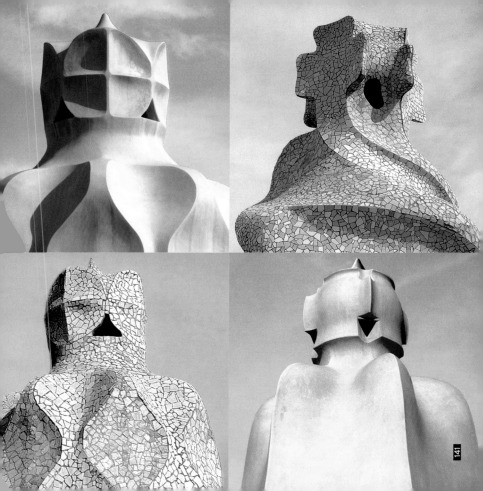

ANTONI GAUDÍ
SUS OBRAS EN BARCELONA

EDICIÓN
© DOS DE ARTE EDICIONES, S.L., BARCELONA, 2010

TEXTOS Y FOTOGRAFÍAS
AUTORES: CARLOS GIORDANO Y NICOLÁS PALMISANO
© DOS DE ARTE EDICIONES, S.L., BARCELONA, 2010

TRADUCCIÓN
AUTORA: CERYS R. JONES.
© DOS DE ARTE EDICIONES, S.L., BARCELONA, 2010

AGRADECIMIENTOS
• TEMPLO EXPIATORIO DE LA SAGRADA FAMILIA
  FOTOGRAFÍAS DE LA PÁGINA 015 A LA 031.
• CASA MUSEU GAUDÍ. FOTOGRAFÍA DEL RETRATO/
  PINTURA DE EUSEBI GÜELL PÁGINA 006.

CUARTA EDICIÓN 2010

ISBN: 978-84-96783-07-2

DEPÓSITO LEGAL: B-13.594-2010

IMPRESO EN ESPAÑA

DOSDe
arte
EDICIONES

info@dosdearte.com

DESCARGUE
DOWNLOAD

www.dosdearte.com

¡Contenido Extra!
Extra Content!

Utilizando el código podrá
descargar contenido extra,
visitando la "Zona de descar-
gas" de nuestra página web.

*Using the code you will be
able to download extra mate-
rial, visiting the "Download
zone" on our web page.*

KNB3501CER